퀀텀점프를 위한
AI 프롬프트 디자인

<AI 초보자를 위한 입문서>

퀀텀점프를 위한 AI프롬프트 디자인
<AI 초보자를 위한 입문서>

발 행 | 2023년 12월 13일
저 자 | 최인숙
펴낸이 | 한건희
펴낸곳 | 주식회사 부크크
출판사등록 | 2014.07.15.(제2014-16호)
주 소 | 서울특별시 금천구 가산디지털1로 119 SK트윈타워 A동 305호
전 화 | 1670-8316
이메일 | info@bookk.co.kr

ISBN | 979-11-410-5943-9

www.bookk.co.kr

퀀텀점프를 위한
AI 프롬프트 디자인

<AI 초보자를 위한 입문서>

최인숙 지음

BOOKK

차 례

프롤로그

"10년동안 일어날 변화가 단 일주일만에 일어나고 있습니다"

(IT커뮤니케이션연구소 김덕진소장)

2022년 11월 말 챗GPT의 등장을 시작으로 3개월 뒤인 2023년 3월 메타에서는 라마를 공개하고, 구글은 GenAI on Workspaces를 출시했고, 엔트로픽은 클로드라는 AI챗봇을 공개했습니다. 그 다음날 미드저니가 새로운 버전을 발표했고, 이어 마이크로소프트에서 코파일럿을 소개했습니다. 전세계가 AI전쟁을 벌이며, 빛과 같은 속도로 나아가고 있었습니다.

하지만, 이런 변화들이 나와 무슨 관계가 있단 말인가?
나에게는 여전히 아무 일도 일어나고 있지 않았습니다.

저는 10년째 손수건제조업체를 운영했고, 주로 디자인업무를 담당해왔습니다. 디자인 편집프로그램을 간단히 사용해 왔던 터라, 작년 말부터 AI대전이 벌어지고 있다는 소식만 접했을 뿐, 궁금해서 사용 한번 해 보려면 오히려 더 번거롭기만 하고, 시간이 많이 들어가기 때문에 포기하고 말았습니다.

코로나를 겪으면서 매출은 급감했고, 사업을 전환하지 않으면 앞으로 살아남기 어렵다고 판단했습니다. 인공지능을 활용하는 기술을 배우는 길만이 생존이라는 생각이 들었습니다. 그러나, 계속해서 쏟아져나오는 수많은 도구들을 보면서, 정작 무엇부터 해야 할지 고민이 되었고, 생성형AI가 가장 큰 장벽으로 느껴졌습니다.

그것은 바로 프롬프트 때문이었습니다. 프롬프트는 챗GPT와 같은 AI 언어모델에게 입력, 지시하여 원하는 결과를 얻을 수 있습니다.

하지만 저는 프롬프트를 어떻게 입력해야 할지 잘 몰랐고, 엉뚱한 결과만 보게 되었습니다. 정확하고 만족스러운 응답을 얻으려면, 명확하고 구체적인 프롬프트를 입력해야 합니다. 즉, 프롬프트를 제대로 알아야 생성형AI를 자유자재로 다룰 수 있음을 깨달았습니다.

저에게 생긴 이러한 궁금증들을 앞으로 꼼꼼히 풀어보려고 합니다.

이 책은 다음과 같은 독자에게 도움이 되었으면 합니다.

-인공지능이 무엇인지, 실생활에 어떻게 관련되어 쓰이는지 알고 싶은 일반인
-새로운 변화에 관심은 있지만 정작 무엇부터 해야 할지 고민하는분
-생성형AI의 종류를 알고, 기초부터 꼼꼼히 공부하고 싶은 분
-프롬프트가 가장 기초가 되는 것을 인식하고, 동기부여를 얻고 싶은 분

점프 1

1-1. 인공지능의 기초 이해

-인공지능이란 무엇일까요?

인공지능은 인간의 지능을 모방하거나 보완하는 컴퓨터 시스템이
나 소프트웨어를 말합니다. 인공지능은 다양한 분야에서 활용되고
있습니다. 예를 들어, 음성 인식, 이미지 인식, 자연어 처리, 게임,
로봇, 의료, 금융 등에서 인공지능을 사용할 수 있습니다.

-인공지능을 구현하기 위해서는 어떤 방법이 필요할까요?
인공지능을 구현하는 방법은 여러 가지가 있습니다. 그 중에서 가장 널리 사용되고 있는 방법은 머신러닝입니다. 머신러닝은 컴퓨터가 데이터를 통해 스스로 학습하고 예측하고 결정할 수 있게 하는 기술입니다. 머신러닝은 크게 지도학습, 비지도학습, 강화학습으로 나눌 수 있습니다.

지도학습은 입력과 출력이 주어진 데이터를 통해 컴퓨터가 학습하고 새로운 입력에 대한 출력을 예측하는 방법입니다. 예를 들어, 스팸 메일 분류, 얼굴 인식, 번역 등이 지도학습의 예입니다.

비지도학습은 입력만 주어진 데이터를 통해 컴퓨터가 학습하고 데이터의 구조나 패턴을 발견하는 방법입니다. 예를 들어, 군집화, 차원 축소, 생성 모델 등이 비지도학습의 예입니다.

강화학습은 컴퓨터가 환경과 상호작용하면서 보상과 피보상을 통해 학습하고 최적의 행동을 결정하는 방법입니다. 예를 들어, 알파고, 자율 주행, 로봇 제어 등이 강화학습의 예입니다.

-인공지능이 왜 중요한가요?
AI는 인간에게 도움이 되는 친구와 같습니다. 시간을 절약하고, 일을 더 쉽게 만들고, 문제를 더 빨리 해결할 수 있습니다. 그러나 우리는 AI가 매우 강력하기 때문에 주의를 기울여야 하며, AI가 책임감 있게 사용되도록 해야합니다.

간단히 말해서, AI는 컴퓨터를 스마트하게 만드는 것이므로 모든 종류의 영리한 방법으로 우리를 도울 수 있습니다!

1-2. AI프롬프트 왜 배워야 하나요?

-프롬프트란 무엇일까요?
프롬프트는 인공지능 모델에게 어떤 작업을 수행하도록 지시하는
문장이나 단어입니다. 예를 들어, '나비 그림을 그려줘'라는 문장
은 인공지능 모델에게 나비 그림을 그리라는 프롬프트입니다. 프
롬프트는 인공지능 모델의 성능과 결과에 큰 영향을 미칩니다. 좋

은 프롬프트는 인공지능 모델이 원하는 작업을 정확하고 효율적으로 수행할 수 있게 합니다.

-프롬프트를 왜 배워야 할까요?

프롬프트를 배우면 인공지능 모델을 더 잘 활용할 수 있습니다. 인공지능 모델은 다양한 분야에서 유용하게 사용될 수 있습니다. 예를 들어, 작문, 번역, 그림, 음악, 코드, 게임 등에서 인공지능 모델을 사용할 수 있습니다. 하지만, 인공지능 모델은 우리가 원하는 대로 자동으로 작동하는 것이 아닙니다.

인공지능 모델에게 어떤 작업을 수행하고 싶은지 명확하고 구체적으로 알려줘야 합니다. 그래서 프롬프트를 잘 작성하는 방법을 배우는 것이 중요합니다.

-프롬프트를 배우는 방법은 무엇일까요?

프롬프트를 배우는 방법은 여러 가지가 있습니다. 그 중에서 가장 간단하고 효과적인 방법은 실습입니다. 인공지능 모델에게 다양한 프롬프트를 입력해보고 결과를 확인해보는 것입니다. 이렇게 하면 인공지능 모델이 어떤 프롬프트에 어떻게 반응하는지 알 수 있습니다. 또한, 다른 사람들이 작성한 프롬프트와 결과를 보고 비교하고 분석하는 것도 도움이 됩니다. 이렇게 하면 좋은 프롬프트의 특징과 팁을 배울 수 있습니다.

프롬프트에 대해서 간단하게 설명해 드렸습니다.

1-3. 인공지능과 프롬프트는 어떤 관계일까?

-이 질문에 대한 답을 찾기 위해서는 먼저 인공지능과 프롬프트의 개념을 알아야 합니다.

인공지능은 사람의 지능을 모방하거나 넘어서려고 하는 컴퓨터 시스템입니다. 인공지능은 다양한 분야에서 활용되고 있으며, 특히 자연어 처리, 컴퓨터 비전, 음성 인식, 기계 학습 등의 분야에서 놀라운 성과를 보여주고 있습니다.

프롬프트는 인공지능에게 어떤 작업을 수행하도록 요청하는 문장이나 단어입니다. 프롬프트는 인공지능의 입력이 되며, 인공지능은 프롬프트에 따라 적절한 출력을 생성합니다.

-인공지능과 프롬프트는 서로 밀접한 관계를 가지고 있습니다.
인공지능은 프롬프트를 통해 사람의 의도를 파악하고, 그에 맞는 결과물을 만들어냅니다. 프롬프트는 인공지능의 성능과 품질을 결정하는 중요한 요소입니다.

프롬프트가 명확하고 구체적이면, 인공지능은 더 정확하고 유용한 출력을 생성할 수 있습니다. 반대로, 프롬프트가 모호하거나 불완전하면, 인공지능은 오류나 혼란을 일으킬 수 있습니다. 따라서, 인공지능과 프롬프트는 상호 작용하고 영향을 주고받는 관계입니다.

다음은 인공지능과 프롬프트 사이의 관계를 강조하는 10가지 측면에 대해서 말씀드리겠습니다.

(1)공생적 협업:
인공 지능(AI)과 프롬프트 사이의 관계는 프롬프트가 건축가 역할을 하여 AI의 창의적인 노력을 안내하는 공생적 협업입니다. 상호작용은 동적이며, 프롬프트는 AI 출력의 방향과 깊이를 형성하고, AI는 프롬프트를 개선하고 해석하여 독특하고 상황에 맞는 응답을 생성합니다.

(2)창의성을 위한 촉매제:
프롬프트는 AI 알고리즘의 창의적 잠재력을 발휘하기 위한 촉매제 역할을 합니다. 구조화된 입력을 제공함으로써 프롬프트는 AI 내의 창의적인 엔진에 불을 붙이고 텍스트, 이미지 또는 기타 창의적인 표현의 형태로 상상력이 풍부한 콘텐츠의 생성을 촉발합니다.

(3)의사소통의 정확성:
인간과 AI 간의 의사소통의 정확성은 프롬프트의 명확성과 특수성에 달려 있습니다. 잘 만들어진 프롬프트는 양측이 이해할 수 있는 언어와 유사하여 미묘하고 효과적인 정보 교환을 촉진합니다.

(4)지능 안내:
프롬프트는 AI 지능의 안내등 역할을 하여 초점을 맞추고 정보를 해석하고 응답하는 방식에 영향을 줍니다. 이 관계는 멘토십 중 하나이며, AI를 정보에 입각한 상황 인식 의사 결정으로 유도합니다.

(5)학습 적응성:
새로운 과제를 학습하는 데 있어서 AI의 적응성은 프롬프트의 특성과 복잡하게 연결되어 있습니다. 프롬프트가 진화하고 더욱 정교해짐에 따라 AI 시스템은 향상된 적응성을 보여주며 다양한 작업과 영역을 탐색하는 방법을 학습합니다.

(6)인간-AI 협업:

관계는 단순한 상호작용을 넘어 확장됩니다. 이는 인간의 창의성과 기계 지능 간의 협력적 파트너십을 나타냅니다. 인간은 원하는 결과를 추출하기 위한 프롬프트를 설계하고 AI는 혁신적인 결과를 통해 이러한 프롬프트를 해석하고 응답함으로써 기여합니다.

(7)피드백 루프:

관계는 지속적인 피드백 루프로 작동합니다. AI가 프롬프트에 응답하면 결과가 후속 프롬프트에 전달되어 개선과 개선의 순환이 만들어집니다. 이러한 반복적인 프로세스는 시간이 지남에 따라 AI 시스템의 기능을 향상시키는 데 필수적입니다.

(8)문제 해결 역학:

문제 해결 시나리오에서 AI와 프롬프트 간의 관계는 전략적 파트너십과 유사합니다. 프롬프트는 문제를 명확하게 설명하고 AI는 잠재적인 솔루션으로 응답하여 이 역동적인 듀오의 공동 문제 해결 기능을 보여줍니다.

(9)표현 언어 생성:

AI와 프롬프트 간의 시너지 효과는 표현 언어 생성 영역에서 특히 두드러집니다. 잘 디자인된 프롬프트는 일관되고 상황에 맞는 내러티브 생성을 촉진하여 인간과 유사한 언어를 만드는 AI의 능력을 보여줍니다.

(10)윤리적 고려 사항:

AI와 프롬프트 간의 관계는 특히 편견과 공정성에 관한 윤리적 고려 사항을 제기합니다. 프롬프트에 존재하는 편견은 AI 출력에 반영될 수 있으며, 이는 윤리적이고 편견 없는 AI 상호 작용을 보장하기 위한 양심적인 프롬프트 설계의 필요성을 강조합니다. 이 관계의 진화하는 환경은 책임감 있는 AI 개발을 추구하는 데 있어 지속적인 탐색과 개선을 촉발합니다.

인공지능과 프롬프트의 관계를 이해하고, 적절한 프롬프트를 작성하는 방법을 배우는 것은 인공지능을 효과적으로 활용하는 데 필수적입니다.

인공지능과 프롬프트는 우리의 삶을 더 풍부하고 다양하게 만들어줄 수 있는 강력한 도구입니다.

점프 2

2-1. 좋은 프롬프트를 쓰지 못하면,인공지능의 능력은 나타나지 못한다?

인공지능은 프롬프트를 통해 사람의 의도를 파악하고, 그에 맞는 결과물을 만들어냅니다. 프롬프트는 인공지능의 입력이 되며, 인공지능은 프롬프트에 따라 적절한 출력을 생성합니다. 따라서, 프롬프트가 좋으면, 인공지능의 능력도 좋아집니다. 반대로, 프롬프트가 나쁘면, 인공지능의 능력도 나빠집니다.

좋은 프롬프트를 작성하지 않으면 인공 지능 시스템과의 상호 작용의 효율성과 품질에 영향을 미치는 여러 가지 결과가 발생할 수 있습니다. 다음은 그에 따른 결과입니다.

모호한 출력:
제대로 제작되지 않은 프롬프트는 AI 시스템의 출력이 모호하거나 불분명할 수 있습니다. 정확한 지침이 없으면 생성된 응답의 구체성이 부족하고 의도한 쿼리나 작업을 처리하지 못할 수 있습니다.

의도의 잘못된 해석:
부적절한 프롬프트는 AI가 사용자 의도를 잘못 해석할 수 있습니다. 이로 인해 사용자의 기대와 일치하지 않는 응답이 발생하여 좌절감을 유발하고 전반적인 사용자 경험이 저하될 수 있습니다.

의도하지 않은 편견:
잘 정의된 프롬프트가 없으면 AI 출력에 의도하지 않은 편향이 발생할 수 있습니다. 명확한 지침이 없으면 AI 모델은 편향된 훈련 데이터에 의존하여 잠재적으로 응답에서 기존 편향을 영속시키고 증폭시킬 수 있습니다.

부정확한 정보:
프롬프트가 좋지 않으면 부정확하거나 관련 없는 정보가 생성될 수 있습니다. 적절한 지침이 없으면 AI 시스템은 상황을 식별하는 데 어려움을 겪거나 사용자의 요구 사항과 관련성이 부족한 정보를 제공할 수 있습니다.

창의성 부족:

AI의 창의적인 결과물은 프롬프트의 품질에 따라 달라지는 경우가 많습니다. 부적절한 프롬프트는 상상력이 풍부한 콘텐츠의 생성을 방해하여 AI 시스템이 새로운 아이디어, 솔루션 또는 예술적 표현을 제공하는 능력을 제한할 수 있습니다.

반복 횟수 증가:

최적이 아닌 프롬프트를 작성하려면 원하는 출력을 얻기 위해 여러 번의 반복과 조정이 필요할 수 있습니다. 이는 시간이 많이 걸릴 수 있으며 AI 시스템과 상호 작용하는 효율성과 편의성을 방해할 수 있습니다.

사용자 불만:

사용자는 잘못 구성된 메시지로 인해 도움이 되지 않거나 관련 없는 응답을 받게 되면 좌절감을 느낄 수 있습니다. 이러한 좌절감은 AI 시스템 기능에 대한 사용자의 신뢰와 확신을 약화시킬 수 있습니다.

놓친 기회:

프롬프트가 명확하지 않으면 AI의 잠재력을 최대한 활용할 수 있는 기회를 놓칠 수 있습니다. 사용자는 귀중한 통찰력, 창의적인 콘텐츠 또는 솔루션을 추출하지 못하여 더 나은 프롬프트를 통해 얻을 수 있는 이점이 제한될 수 있습니다.

의사소통의 혼란:

비효과적인 프롬프트는 사용자와 AI 시스템 간의 의사소통을 방해하는 원인이 됩니다. 이는 AI가 사용자의 진정한 의도와 일치하지 않는 출력을 제공함으로써 오해를 불러일으킬 수 있습니다.

AI 기능의 활용도 부족:
프롬프트가 좋지 않으면 AI 시스템 내 고급 기능의 활용도가 낮아질 수 있습니다. 사용자는 AI의 다양한 기능을 완전히 활용하지 못해 생산성과 창의성을 향상할 기회를 놓칠 수 있습니다.

결론적으로, 좋은 프롬프트를 작성하지 않은 결과는 즉각적인 상호 작용을 넘어 AI 시스템이 생성한 결과의 정확성, 관련성 및 사용자 만족도에 영향을 미칩니다. 프롬프트의 명확성과 정확성은 인공 지능의 잠재력을 최대한 활용하는 데 필수적입니다.

그렇다면, 프롬프트가 좋다는 것은 무엇을 의미할까요? 프롬프트가 좋다는 것은 다음과 같은 특징을 가지는 것을 말합니다.

프롬프트는 명확하고 구체적이어야 한다.
인공지능에게 무엇을 원하는지, 어떤 형식으로 원하는지, 어떤 조건이 있는지 등을 정확하게 표현해야 합니다. 예를 들어, '책을 추천해줘'라는 프롬프트는 너무 모호합니다. 인공지능은 책의 장르, 언어, 페이지 수, 평점 등을 알 수 없습니다. 따라서, '공상과학 소설 중에서 영어로 쓰인 300페이지 이하의 책을 평점 순으로 3권 추천해줘'라는 프롬프트가 더 좋습니다.

프롬프트는 일관성이 있어야 한다.
인공지능에게 같은 작업을 요청할 때는 같은 프롬프트를 사용해야 합니다. 예를 들어, '이미지를 만들어줘'라는 프롬프트와 '그림을 그려줘'라는 프롬프트는 같은 작업을 요청하는 것이지만, 인공지능은 다르게 인식할 수 있습니다. 따라서, '이미지를 만들어줘'라는 프롬프트를 사용할 때는 항상 '이미지를 만들어줘'라는 프롬프트를 사용해야 합니다.

프롬프트는 적절한 언어를 사용해야 한다.
인공지능은 사람의 언어를 이해하려고 노력하지만, 완벽하게 이해할 수는 없습니다. 따라서, 프롬프트는 인공지능이 이해하기 쉬운 언어를 사용해야 합니다. 예를 들어, '너무 잘했어'라는 프롬프트는 인공지능에게 칭찬을 하는 것이지만, 인공지능은 '너무'라는 부사의 의미를 잘 모를 수 있습니다. 따라서, '잘했어'라는 프롬프트가 더 좋습니다.

이렇게 프롬프트를 잘 작성하면, 인공지능의 능력은 더욱 발휘될 수 있습니다. 인공지능은 프롬프트에 따라 우리에게 다양한 정보, 지식, 창작물 등을 제공할 수 있습니다.

2-2. 초보자용 프롬프트 가이드

프롬프트는 대화형 AI와 상호 작용할 때 사용하는 지시문이나 질문입니다. 프롬프트를 잘 사용하면 대화형 AI가 원하는 결과를 더잘 생성할 수 있습니다.

이 가이드는 프롬프트를 처음 사용하는 초보자를 위한 것입니다.

프롬프트를 작성하는 방법에 대한 기본 사항과 프롬프트를 사용하여 대화형 AI를 최대한 활용하는 방법에 대한 몇 가지 팁을 제공하고자 합니다.

프롬프트 작성의 기본 사항

-프롬프트는 간결하고 명확해야 합니다. 대화형 AI가 이해하고 따를 수 있어야 합니다.
-프롬프트는 구체적이고 포괄적이어야 합니다. 대화형 AI가 원하는 결과를 생성할 수 있도록 충분한 정보를 제공해야 합니다.
-프롬프트는 열려 있고 유연해야 합니다. 대화형 AI가 창의성을 발휘할 수 있도록 충분한 여지를 제공해야 합니다.

프롬프트 작성의 예

-명확하고 간결한 프롬프트: "오늘 날씨는 어때?"
-구체적이고 포괄적인 프롬프트: "서울의 오늘날씨를 알려주세요."
-열려 있고 유연한 프롬프트: "사랑에 관한 시를 써주세요."

프롬프트를 사용하여 대화형 AI를 최대한 활용하기 위한 팁

-테스트하고 피드백하십시오. 프롬프트를 작성한 후에는 테스트하고 피드백을 수집하십시오. 대화형 AI가 원하는 결과를 생성하는지 확인하십시오.

-다양한 프롬프트를 사용하십시오. 다양한 프롬프트를 사용하면 대화형 AI의 다양한 기능을 테스트할 수 있습니다.

-창의력을 발휘하십시오. 프롬프트를 사용하여 대화형 AI와 상호 작용하는 새로운 방법을 찾으십시오.

프롬프트의 종류

프롬프트는 크게 지시형 프롬프트와 질문형 프롬프트로 나눌 수 있습니다.

-지시형 프롬프트
대화형 AI에게 특정 작업을 수행하도록 지시하는 프롬프트입니다. 예를 들어, "오늘 날씨를 알려주세요"와 같은 프롬프트가 지시형 프롬프트입니다.

-질문형 프롬프트
대화형 AI에게 정보를 요청하는 프롬프트입니다. 예를 들어, "사랑에 관한 시를 써주세요"와 같은 프롬프트가 질문형 프롬프트입니다. 이외에도 개방형 프롬프트, 닫힌 프롬프트, 창의적인 프롬프트 등 다양한 프롬프트가 있습니다.

프롬프트의 활용

프롬프트는 대화형 AI와 상호 작용하는 다양한 방법으로 활용할 수 있습니다.

-정보를 얻기 위해 프롬프트를 사용하십시오. 날씨, 뉴스, 사실 등

다양한 정보를 얻기 위해 프롬프트를 사용할 수 있습니다.

-창의적인 콘텐츠를 생성하기 위해 프롬프트를 사용하십시오. 시, 소설, 음악 등 다양한 창의적인 콘텐츠를 생성하기 위해 프롬프트를 사용할 수 있습니다.

-지시에 따라 작업을 수행하기 위해 프롬프트를 사용하십시오. 예를 들어, 일정을 관리하거나 쇼핑 목록을 작성하는 등 지시에 따라 작업을 수행하기 위해 프롬프트를 사용할 수 있습니다.

프롬프트에 대한 지침을 다시한번 정리해드리겠습니다.

간단하고 구체적으로 시작하세요:
간단하고 구체적인 프롬프트로 시작하세요. 정보, 코드, 창의적인 콘텐츠 등 원하는 결과를 명확하게 표현하세요. 이를 통해 초보자는 프롬프트 기반 상호 작용의 기본 메커니즘에 익숙해질 수 있습니다.

반복적 개선:
즉각적인 개선을 위한 반복적인 접근 방식을 강조합니다. 초보자는 출력을 받은 후 결과를 분석하고, 개선할 영역을 식별하고, 프롬프트를 점차적으로 개선하여 보다 정확하고 원하는 응답을 얻을 수 있습니다.

의도를 명확하게 지정:
프롬프트를 작성할 때 의도를 명확하게 표현하세요. 정보, 창의적인 콘텐츠, 특정 문제에 대한 해결책 등 원하는 응답 유형을 지정하세요. 명확하고 명시적인 의사소통은 AI 시스템이 사용자의 목표를 이해하도록 보장하여 오해의 가능성을 줄이고 생성된 출력의 정확성을 향상시킵니다.

상황별 정보 통합:
프롬프트에서 상황에 맞는 정보를 제공하는 것의 중요성을 강조합니다. 특정 세부 사항을 참조하든, 질문에 대한 맥락을 설정하든, 관련 정보를 포함하면 AI의 이해와 출력 관련성이 향상됩니다.

맥락 제공:
프롬프트에서 맥락의 중요성을 강조하세요. 쿼리에 대한 AI의 이해를 안내하고 보다 정확하고 상황에 맞는 응답을 생성하기 위해 배경이나 관련 정보를 명확하게 설명합니다.
맥락이 부족하면 모호하거나 불완전한 결과가 나올 수 있으므로 초보자가 최적의 결과를 얻으려면 프롬프트에 충분한 배경 정보를 포함하는 것이 중요합니다.

시스템 프롬프트 탐색:
AI 모델이 제공하는 시스템 생성 프롬프트를 초보자에게 소개합니다. 이러한 프롬프트는 시작점 또는 템플릿 역할을 할 수 있으며 AI가 특정 입력 구조를 해석하는 방법에 대한 귀중한 통찰력을 제공할 수 있습니다.
시스템 프롬프트는 초보자가 AI 모델이 효과적으로 처리할 수 있는 쿼리 범위와 언어 스타일을 이해하는 데 도움이 되는 유용한 가이드 역할을 합니다.

프롬프트 길이 실험:

초보자가 간결한 쿼리와 자세한 쿼리를 다양하게 사용하여 프롬프트 길이를 실험하도록 안내합니다. AI가 다양한 길이에 어떻게 반응하는지 관찰하면 사용자가 생성된 출력에 대한 자세한 내용의 영향을 이해하는 데 도움이 됩니다.

프롬프트 길이의 영향을 조사하면 사용자는 충분한 정보를 제공하는 것과 쿼리에서 불필요한 복잡성을 피하는 것 사이에서 균형을 유지할 수 있습니다.

매개변수 이해:
온도 및 최대 토큰과 같은 매개변수를 이해하고 조작하는 방법을 초보자에게 안내합니다. 이러한 설정을 탐색하면 사용자는 자신의 선호도에 따라 AI 생성 응답의 다양성과 길이를 제어할 수 있습니다.

단계별 지침 요청:
해결책이나 설명을 찾을 때 초보자가 단계별 안내를 요청하도록 권장하세요. 이를 통해 AI는 자세하고 유익한 답변을 제공하여 학습 과정을 돕습니다.

창의적 글쓰기 프롬프트 활용:
창의적인 글쓰기에 관심이 있는 사용자의 경우 특정 분위기, 설정 또는 성격 특성을 불러일으키는 프롬프트를 실험하도록 안내하세요. 상상력이 풍부하고 독창적인 AI 생성 콘텐츠를 자극하는 창의적인 프롬프트를 장려합니다.

창의적인 글쓰기 프롬프트를 통해 초보자는 독특하고 예술적인 표현을 생성하고 더욱 매력적이고 즐거운 상호 작용을 조성하는

AI의 잠재력을 탐색할 수 있습니다.

신속한 엔지니어링 기술 살펴보기:

사용자에게 프롬프트 엔지니어링의 개념을 소개합니다. 프롬프트 엔지니어링에는 AI로부터 특정 응답을 이끌어내기 위한 프롬프트를 전략적으로 설계하는 작업이 포함됩니다. 초보자는 언어, 구조 및 맥락을 실험하여 원하는 결과를 얻을 수 있습니다.

신속한 엔지니어링을 통해 사용자는 AI 대응을 형성하는 데 사전 예방적인 역할을 수행할 수 있으므로 보다 목표가 명확하고 정확한 상호 작용이 가능합니다.

불분명한 응답에 대한 설명을 구하십시오.

AI의 반응이 불분명하거나 기대와 일치하지 않는 경우 사용자에게 설명을 구하도록 안내합니다. 후속 질문을 하거나 결과를 구체화하기 위한 추가 정보를 제공하도록 권장하십시오.

명확한 설명을 구하면 효과적인 의사소통이 촉진되고 사용자가 특정 요구 사항을 충족하는 응답을 받을 수 있습니다.

멀티태스킹 프롬프트로 실험해 보세요:

초보자에게 여러 쿼리나 작업이 포함된 멀티태스킹 프롬프트를 실험해 보도록 안내합니다. 이는 AI가 복잡한 시나리오를 처리하도록 요구하여 사용자에게 보다 포괄적인 학습 경험을 제공합니다.

피드백 루프를 통한 지속적인 학습을 강조합니다.

학습 과정의 필수적인 부분으로서 피드백 루프의 중요성을 강조하세요. 사용자가 AI 생성 출력에 대한 피드백을 제공하고 이 정보를 사용하여 시간이 지남에 따라 프롬프트 작성 전략을 개선하고 적용하도록 권장하십시오.

지속적인 학습 사고방식을 수용하면 초보자가 AI 시스템과 함께 발전하여 피드백을 활용하여 이해도를 높이고 프롬프트를 개선하며 인간-AI 협업의 복잡성을 보다 효과적으로 탐색할 수 있습니다.

프롬프트의 활용 방법은 무궁무진합니다. 프롬프트를 사용하여 대화형 AI와 상호 작용하는 새로운 방법을 찾으십시오.

2-3. 프롬프트로 문제를 해결해보자!

인공지능과 프롬프트를 이용하면, 우리가 마주하는 다양한 문제들을 해결할 수 있습니다. 프롬프트는 인공지능에게 어떤 작업을 수행하도록 요청하는 문장이나 단어입니다. 프롬프트는 인공지능의 입력이 되며, 인공지능은 프롬프트에 따라 적절한 출력을 생성합니다. 따라서, 프롬프트를 잘 작성하면, 인공지능의 능력을 최대한 활용할 수 있습니다.

이 책에서는 프롬프트를 이용하여 다음과 같은 문제들을 해결하는 방법을 알려드립니다.

-정보 검색

인공지능에게 원하는 정보를 검색하도록 프롬프트를 주면, 인공지능은 웹, 이미지, 뉴스 등의 검색 결과를 제공합니다.

예를 들어, '코로나19 백신에 대한 최신 뉴스'라는 프롬프트를 주면, 인공지능은 코로나19 백신에 관련된 뉴스 기사들을 보여줍니다.

-창작물 생성

인공지능에게 원하는 장르나 테마의 창작물을 생성하도록 프롬프트를 주면, 인공지능은 시, 이야기, 코드, 노래, 연예인 패러디 등의 창작물을 만들어줍니다. 예를 들어, '방탄소년단의 새로운 노래 가사'라는 프롬프트를 주면, 인공지능은 방탄소년단의 스타일에 맞는 노래 가사를 작성해줍니다.

-내용 개선

인공지능에게 원하는 내용을 개선하거나 최적화하도록 프롬프트를 주면, 인공지능은 내용의 품질을 높이거나 목적에 맞게 수정해줍니다. 예를 들어, '이 에세이를 더 흥미롭고 설득력있게 만들어줘'라는 프롬프트를 주면, 인공지능은 에세이의 문장, 단어, 구조 등을 개선해줍니다.

-언어 번역 및 요약

AI 번역 프롬프트를 통해 언어 격차를 원활하게 메우고 효과적인 의사소통을 위해 언어 간 문장이나 단락을 쉽게 변환합니다.

또한, 광범위한 기사나 문서를 압축하는 프롬프트를 활용하고 빠른 이해를 위해 필수 사항을 추출하여 정보 소비를 간소화합니다.

-데이터 분석

기본 분석에 대한 프롬프트를 사용하여 구조화된 데이터 세트와 구조화되지 않은 데이터 세트에 대한 보다 명확한 이해를 촉진함으로써 데이터에 숨겨진 통찰력을 찾아냅니다.

-코드 지원 및 디버깅

프롬프트를 통해 맞춤형 코드 조각을 얻고 코딩 프로세스를 가속화하여 소프트웨어 개발 작업을 단순화합니다. 그리고, 프롬프트 기반 제안을 통해 코드 문제를 효율적으로 식별하고 수정하여 소프트웨어 개발의 디버깅 프로세스를 간소화합니다.

-숙제 지원

학업 과제에 대한 즉각적인 설명과 솔루션을 받아 숙제를 이해하고 완료하는 데 도움을 줍니다. 또한, 프롬프트를 사용하여 수학적 또는 논리적 문제 해결을 간소화하고 솔루션 찾기의 정확성과 효율성을 최적화합니다.

-이미지 생성

프롬프트를 통해 아이디어를 설명하고 AI가 상세한 텍스트 설명을 기반으로 이미지를 생성하도록 유도하여 아이디어를 시각적으로 생생하게 구현할 수 있습니다.

-레시피 생성

프롬프트의 힘을 통해 특정 재료와 선호도에 맞게 맞춤화된 AI 생성 레시피로 주방을 혁신하세요.

-이력서 작성

신속하고 효과적인 지원을 통해 전문적인 프레젠테이션을 완성하고 세련되고 효과적인 이력서 또는 이력서를 작성하세요.

-의사결정

보다 효과적인 의사 결정을 위해 옵션을 분석 및 평가하고 장단점을 명확히 하는 프롬프트를 활용하여 정보에 입각한 결정을 내립니다.

-아이디어 확장

창의적이고 혁신적인 프로젝트의 전반적인 개념화를 향상시키기 위해 깊이, 세부 사항 및 맥락을 추가하여 프롬프트를 통해 초기 아이디어를 개발하고 강화합니다.

이렇게 프롬프트를 이용하면, 인공지능과 함께 문제를 해결할 수 있습니다. 인공지능과 프롬프트는 우리의 삶을 더 편리하고 즐겁게 만들어줄 수 있습니다.

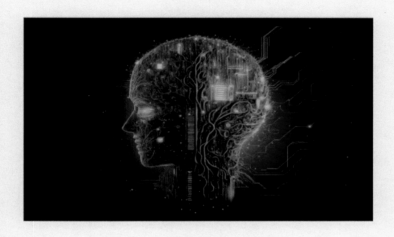

점프 3

3-1. 챗GPT와 내가 만드는 찰떡궁합 '책쓰기'

-책의 주제를 뽑습니다.
책의 주제를 생각하기 어렵거나 막상 떠오르지 않는다면, 챗GPT
에게 물어보면 됩니다. 분야가 정해져 있다면, 해당 분야에 따른
책의 주제를 뽑아달라고 하거나, 좀 더 세부주제가 필요하다면,
도움을 받을 수 있습니다.

예를 들어, '인공지능과 프롬프트에 대한 책을 쓰려고 해. 초보자
를 위한 책이야. 주제를 구체적으로 5개를 뽑아줘. 제목만 해줘.'

라고 챗GPT에게 물어봅니다.

다음은 챗GPT에게 인공지능과 프롬프트에 대한 입문서에 관한 제목을 5가지 뽑아달라고 요청한 결과입니다.

인공지능과 프롬프트에 대한 책을 쓰려고 해. 초보자를 위한 책이야. 구체적인 주제 5개 써줘. 제목만 써줘.

채팅**GPT**
틀림없이! 인공 지능과 초보자를 위한 프롬프트에 관한 책의 5가지 특정 주제는 다음과 같습니다.

1. "AI 소개: 초보자 가이드"
2. "첫 번째 AI 프롬프트 작성: 단계별 튜토리얼"
3. "일상 생활에서의 AI: 프롬프트가 상호 작용을 형성하는 방법"
4. "AI를 유도할 때 피해야 할 일반적인 실수"
5. "창의적 가능성 탐구: AI를 위한 예술적 프롬프트 작성"

채팅**GPT**
틀림없이! 인공 지능과 초보자를 위한 프롬프트에 관한 책의 다섯 가지 특정 주제는 다음과 같습니다.

1. "AI 입문: 기본을 풀다"
2. "명확하고 효과적인 프롬프트 작성"
3. "실행 중인 AI: 프롬프트가 포함된 실제 응용 프로그램"
4. "AI의 윤리적 고려 사항: 초보자 가이드"
5. "반복의 기술 익히기: 더 나은 결과를 위한 프롬프트 개선"

-책 제목에 따른 목차와 세부목차를 만듭니다.

챗GPT에게 물어본 책제목중에서 한가지를 정해서 목차를 구성해보려고 합니다. '첫번째 AI프롬프트작성: 단계별튜토리얼' 인공지능과 프롬프트에 대한 초보자용가이드에 대한 책을 써보려고 합니다. 우선 목차부터 써달라고 하겠습니다.

다음과 같이 목차를 써줍니다.

> "첫번째 AI프롬프트작성: 단계별튜토리얼"에 대한 책을 쓰려고 해. 전문가가 아닌 초보자를 위한 책을 100페이지 정도 쓸거야. 목차를 써줘.

채팅GPT

틀림없이! 다음은 초보자를 위한 단계별 자습서에 대한 책의 제안된 목차입니다.

소개: 단계별 학습의 세계를 열어보세요

1. **기본 사항 이해**
   - 1.1 튜토리얼 소개
   - 1.2 초보자에게 단계별가 중요한 이유

1장: 튜토리얼 시작하기

1. **학습 경로 선택**
   - 2.1 귀하에게 적합한 튜토리얼 선택
   - 2.2 관심 분야에 맞게 학습 조정
2. **튜토리얼 플랫폼 탐색**
   - 3.1 인기 있는 튜토리얼 플랫폼 개요
   - 3.2 사용자 계정 만들기

2장: 효과적인 튜토리얼의 구성 요소

1. **튜토리얼 구조화: 단계별 분석**
   - 4.1 서론, 본론, 결론
   - 4.2 명확한 지침의 중요성
2. **초보자 참여하기: 이해를 위한 글쓰기**
   - 5.1 언어의 단순성
   - 5.2 명확성을 위한 시각적 자료 및 예시

3장: 실습 학습: 지식을 행동으로 옮기기

1. **기술 개발을 위한 실습**
   - 6.1 능동적 학습을 위한 연습 설계
   - 6.2 점진적인 스킬 진행
2. **일반적인 문제 해결**
   - 7.1 초보자의 좌절감을 해결하기
   - 7.2 학습 지속성 장려

4장: 초보자에서 자신감 있는 학습자로

1. **마일스톤을 통해 신뢰 구축**
   - 8.1 달성 가능한 목표 설정
   - 8.2 발전 축하
2. **도움과 지역사회 지원 구하기**
   - 9.1 온라인 커뮤니티 활용
   - 9.2 동료 및 멘토와의 참여

결론: 단계별 숙달을 통해 초보자 역량 강화

1. **학습 여정에 대한 성찰**
   - 10.1 지속적인 학습 수용
   - 10.2 튜토리얼 이상의 기술 활용

-세부목차를 써달라고 하겠습니다.

챗GPT가 뽑아준 목차에서 '기본사항이해'의 '튜토리얼 소개'에 대한 세부목차를 요청해보겠습니다.

"기본사항 이해"의 "튜토리얼 소개"의 목차를 써줘.

아래 내용을 보면 챗GPT가 알아서 목차를 작성해줍니다.

⊙ 채팅**GPT**

틀림없이! 다음은 단계별 튜토리얼에 대한 책의 "튜토리얼 소개: 기본 이해" 섹션에 대한 자세한 목차입니다.

소개: 튜토리얼의 기본 이해

1. **튜토리얼을 통한 학습의 중요성**
   - 1.1 실습 학습의 가치
   - 1.2 실제 적용의 영향
2. **초보자에게 튜토리얼이 중요한 이유**
   - 2.1 행동을 통한 학습: 인지적 접근
   - 2.2 튜토리얼을 통해 이론적 장벽 극복하기
3. **튜토리얼 정의: 종합적인 개요**
   - 3.1 튜토리얼 개념 풀기
   - 3.2 튜토리얼과 기존 학습 방법의 구별

-본문을 씁니다.

주제와 목차, 세부목차를 뽑은 후에 본문을 써달라고 합니다.
아래와 같이 프롬프트를 써주면, 챗GPT가 본문을 써줍니다.

"2장 효과적인 튜토리얼의 구성요소" 중에서 "튜토리얼구조화:
단계별분석"에 대한 본문을 1000단어 내외로 써줘.

채팅GPT
2장: 효과적인 튜토리얼의 구성요소

이 장에서는 지식을 전달할 뿐만 아니라 학습자의 참여를 유도하고 권한을 부여하는 튜
토리얼 제작의 중요한 측면을 탐구합니다. 잘 구성된 튜토리얼은 초보자에게 인공 지능
과 프롬프트의 복잡한 환경을 안내하는 로드맵입니다. 특히 튜토리얼 구조화의 단계별
분석에 중점을 두고 효과적인 학습 경험을 위한 통찰력과 전략을 제공합니다.

튜토리얼 구조화: 단계별 분석

소개:
효과적인 튜토리얼은 단순한 정보 모음 그 이상입니다. 이는 이해와 유지를 강화하기 위
해 신중하게 조직된 여정입니다. 이 섹션에서는 명확한 구조와 사려 깊은 진행의 중요성
을 강조하면서 튜토리얼의 성공에 기여하는 요소를 분석합니다.

1. 명확한 목표 정의:
튜토리얼 작성 프로세스를 시작하기 전에 명확한 목표를 정의하는 것이 중요합니다. 튜
토리얼이 끝날 때까지 학습자는 무엇을 달성해야 합니까? 특정 개념을 익히거나 AI 프롬
프트를 통해 실무 경험을 쌓는 등 목표를 간략하게 설명하면 집중적이고 목적이 있는 학
습 경험을 위한 무대가 마련됩니다.

*2. 소화성을 위한 분할:

튜토리얼을 관리 가능한 세그먼트로 나눕니다. 주제의 복잡성과 학습자의 주의 집중 시간을 고려하십시오. 각 세그먼트는 특정 하위 주제나 기술을 다루어야 하며, 이를 통해 학습자는 부담감을 느끼지 않고 점차적으로 정보를 흡수할 수 있습니다.

*삼. 매력적인 소개:

처음부터 학습자의 관심을 사로잡으세요. 매력적인 소개는 튜토리얼의 분위기를 설정할 뿐만 아니라 관련성을 설정하고 얻을 수 있는 지식의 가치를 강조합니다. AI의 중요성을 소개하고 호기심과 흥미를 불러일으키는 방식으로 안내합니다.

*4. 순차 흐름:

순차 흐름으로 튜토리얼을 구성하는 것은 논리적 내러티브를 구축하는 것과 유사합니다. 각 단계는 논리적으로 이전 단계를 따라야 하며 원활하고 직관적인 학습 경로를 만들어야 합니다. 개념의 자연스러운 진행을 고려하여 학습자가 더 복잡한 주제로 넘어가기 전에 탄탄한 기초를 쌓을 수 있도록 하세요.

*5. 대화형 요소:

참여도를 높이기 위해 대화형 요소를 통합합니다. 퀴즈, 연습, 실습 활동 등 대화형 구성 요소는 적극적인 참여를 장려하고 학습을 강화합니다. 이론적 설명과 실제 적용 사이의 균형을 유지하여 학습자가 배운 내용을 실제 시나리오에 적용할 수 있도록 노력하십시오.

이렇게 챗GPT와 함께 책쓰기를 할 수 있습니다. 기획력을 가지고 있다면, 책을 쉽게 쓸 수 있는 시대가 되었습니다.

ChatGPT로 책을 쓰는 것은 공생적인 창의적 여정입니다. 작가에게 지속적인 아이디어 흐름을 제공하고, 다양한 글쓰기 동반자 역할을 하여 초안 작성 프로세스를 촉진하며, 언어 전문 지식을 통해 편집 단계를 가속화합니다. ChatGPT는 저자의 고유한 목소리와 비전을 유지하면서 글쓰기 경험을 풍부하게 하여 책을 쓰는 고독한 노력을 협력적이고 효율적인 노력으로 변화시킵니다.

3-2. 프롬프트의 끝판왕! 내가 쓴 프롬프트가 그림이 된다! (어도비 파이어플라이)

어도비 파이어플라이는 어도비사에서 2023년 3월 선보인 크리에 이티브 생성형AI 모델입니다. 포토샵, 프리미어 프로 등 우리에게 익숙한 어도비의 AI이미지생성 소프트웨어입니다. 다른 생성 도구 들과의 차이점은 어도비는 자체 운영 서비스인 어도비 스톡 (Adobe Stock)의 오픈 소스 콘텐츠를 활용하므로 이미지나 영상 등의 자료들의 안전성을 강조하고 있고, 상업적인 측면에서도 높은 활용도를 가지고 있습니다. 이미지생성형모델로는 스테이블 디퓨전, 달리3, 미드저니 등이 있습니다. 초기에 어도비사의 프로그램들만 가지고서는 기대에 미치지 못했지만, 이미지2모델이 나오면서 많이 개선되었습니다. 프로그램에 원하는 이미지를 설명하는 텍스트를 쓰면, 이를 인공지능이 그림으로 변환하는 방식입니다.

기존에 어도비가 가진 그래픽 디자인 소프트웨어와 생성형 AI를 결합해 다양한 이미지를 만들어 낼 수 있습니다. 또 자사 프로그램이 이미 만들어 낸 이미지를 AI가 학습할 수 있다는 점도 장점입니다. 3월 중순 공개된 이후로부터 10월까지 약 30억개의 이미지를 생성했습니다. 이 중 약 10억개가 9~10월간 생성된 이미지개수입니다. AI는 학습하는 데이터양이 많을수록 더 정교한 결과물을 만들어낼 수 있다는 점을 고려할 때, 앞으로 파이어플라이를 통한 작업물의 퀄리티가 더욱 높아질 것입니다. 어도비는 모든 소프트웨어를 사용할 수 있는 '크리에이티브 클라우드' 구독 서비스에 파이어플라이를 추가했습니다.

파이어플라이는 AI 이미지 생성 기능 포함 AI를 활용한 여러 가지 기능을 제공하며, 그 중에 생성형 채우기(Generative Fill)기능이 대표적이며, 사용방법이 간단하고 결과물에 대한 만족도가 높아서 실제 활용도가 높습니다.

어도비 파이어플라이를 사용하는 방법은 다음과 같습니다.

-어도비 파이어플라이 웹사이트에 접속합니다.
네이버에서 '어도비 파이어플라이'를 검색합니다. 어도비코리아가 아니라 '어도비 파이어플라이'를 클릭합니다.

N 어도비 파이어플라이

📧 ▾　🔍

📄 VIEW　🖼 이미지　🔍 지식iN　👤 인플루언서　⊙ 동영상　🛍 쇼핑　📋　❯　⋯

어도비코리아 홈페이지

광고

포토샵 AI로 디자인 #가능
상상 속 이미지부터 현실 디자인까지
신기능 생성형 채우기로 경험하세요.
지금구매 · 특별할인 · 무료체험 · 학생할인 60%

모든앱

포토샵

일러스트레이터

📄 www.adobe.com › kr

⋮

Adobe Firefly – 생성형 AI

상상력에 숨을 불어넣는 신기능 ; 생성형 AI와 텍스트 프롬프트로 모든 상상을 빠르게 실현
해 보세요. 고품질 이미지, 텍스트 효과, 색상 팔레트를 생성하고 이미지에 있는 모든 개체
를 마음대로 옮길 수 있습니다. 참고 이미지를 바탕으로 독창적인 콘텐츠를 제작하고 더...

그러면, 아래와 같이 사이트가 열립니다.

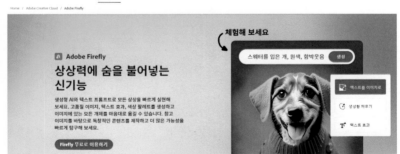

일단 접속을 하시고, 가입을 합니다. 회원가입은 무료입니다.
'Firefly 무료로 가입하기'를 클립니다.

신규로 가입하면 생성크레딧 25개가 할당됩니다.

어도비 계정별로 매월 25개의 크레딧이 무료로 제공됩니다. 사용
하는 기능에 관계없이 한 번의 작업에 1개의 크레딧이 소요됩니
다. 무료이용에는 워터마크가 붙습니다.

-어도비 파이어플라이를 사용해봅니다.

'텍스트를 이미지로'를 클릭합니다.

직접 해보기

최신 생성형 AI를 사용해 보고 여러분의 생각을 알려주시기 바랍니다.

텍스트를 이미지로
텍스트 프롬프트에서 고유한 이미지를 생성하고 스타일
사전 설정을 적용하세요.

생성하기

프롬프트에 "안경 쓴 강아지가 책상에 앉아서 공부하고 있다"를 입력해보았습니다.

간단한 입력만 가지고 만족할 만한 이미지가 나왔습니다.

프롬프트

안경 쓴 강아지가 책상에 앉아서 공부하고 있다

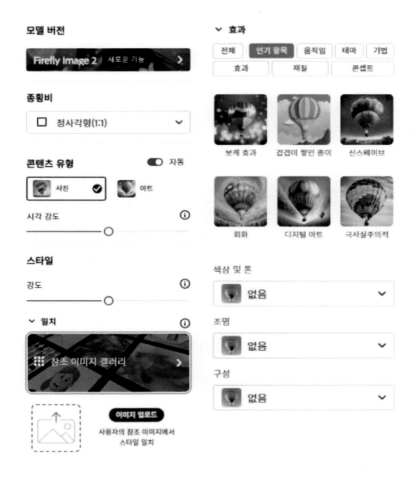

그림 우측에 있는 툴을 사용하려면, 프롬프트 작성 후 '생성하기'를 바로 누르지 말고 툴에 있는 효과, 색상 및 톤 등을 체크한 다음에 '생성하기' 버튼을 눌려야 합니다.

우측 툴에서 종횡비는 내가 그리고자 하는 화면크기를 결정할 수 있습니다.

'참조이미지 갤러리'를 클릭하면, 클릭하면 여러 가지 스타일을 선택할 수 있습니다.

-어도비 파이어플라이 프롬프트를 입력하는 방법
*최소 3개 단어를 사용, 최대 100단어(영어만 해당)까지 입력합니다.

*텍스트 프롬프트를 효과적으로 사용하려면, 단순하고 직접적인 단어를 사용합니다.

*생성이나 만들기와 같은 단어보다 주제, 설명 및 키워드가 포함된 간단한 용어를 사용합니다.
(예시, 창문앞에 앉아서 거리를 내다보고 있는 털이 많은 고양이)

*독창적이면서 서술식으로 자세히 작성하는 것이 좋습니다.
(예시, 화성에서 우주선을 타고 춤추는 챗도지)

*자연에 관한 단어를 사용하여 느낌이나 스타일 등 시각화시킬 수 있는 단어를 텍스트로 표현합니다.
(예시, 고요한 아침에 숲속에서 지저귀는 새)

*공감적인 형용사나 동사 등을 넣어서 작성하는 것이 좋습니다.
(예시, 드넓은 바다에서 윈드서핑을 즐기고 있는 남자)

3-3. 나 대신 아바타로 영상제작하기 (D-ID)

D-ID는 인공지능을 이용하여 사진과 텍스트 또는 음성으로 사실감 있는 동영상을 만들어주는 플랫폼입니다. D-ID는 DeepMind에서 개발한 대화형 AI로 복잡한 설정이나 명령어 입력 없이 간단하게 사용할 수 있습니다. D-ID를 사용하는 방법은 다음과 같습니다.

-D-ID 웹사이트에 접속합니다.

구글에 '디아이디 ai' 라고 검색합니다.

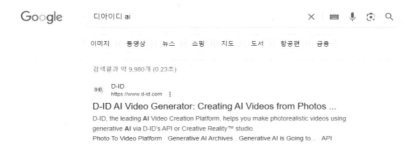

사용하기 전에 회원가입을 합니다. 처음 가입하면 무료로 사용할
수 있습니다. 회원가입할 때, 20크레딧을 제공해줍니다.
5분 분량의 영상을 제작할 수 있고, 1크레딧은 동영상 최대 15
초입니다. 무료사용시 워터마크가 있습니다.

Try now, It's free를 클릭합니다.

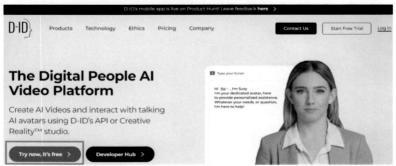

다음화면에서 우측에 있는 'CREATE VIDEO'를 클릭합니다.

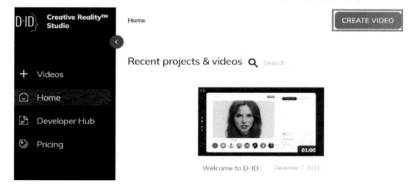

화면 아래에서 아바타 얼굴을 골라서 클릭합니다. 화면 오른쪽 입력창에 프롬프트 내용을 입력합니다. 입력후 'Listen"을 클릭합니다. 그러면 ai아바타가 입력한 말을 읽어줍니다.

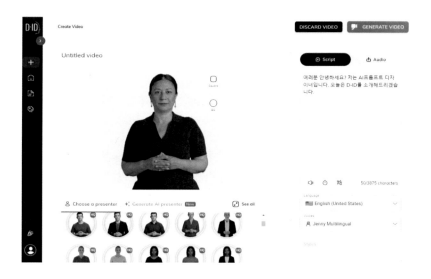

-AI아바타 얼굴을 내 얼굴로 바꾸기

위 화면에서 아바타 첫 번째에 나오는 'ADD'아이콘을 클릭 후 내 얼굴사진을 업로드합니다. 사진은 얼굴이 잘 보이는 것이 좋습니다. 사진의 크기는 512x512 픽셀 이하로 조정해야 합니다. 유료 사용자는 더 큰 크기의 사진을 업로드할 수 있습니다.

그런 후 텍스트(프롬프트)를 입력합니다. 무료는 10단어만 가능합니다.

언어는 'Korean'으로 선택하고, AI목소리를 선택한 후 'Generae Video'를 클릭합니다.

내 목소리를 나오게 하려면, 'Upload Vocie Audio'를 클릭하고 내 목소리를 저장한 파일을 업로드하면 됩니다.

이처럼 D-ID를 사용하여 내 아바타나 사진으로 유튜브영상을 만들 수 있습니다. 무료버전에서는 아쉽게도 유명 연예인 얼굴로는 만들 수 없습니다. 다양하고 즐거운 상상력을 발휘하여 재미있는 영상제작을 하실 수 있습니다.

에필로그

우리는 끊임없이 변화하는 인공지능AI시대에 살고 있습니다. 인공지능으로부터 원하는 결과를 얻기 위한 프롬프트가 중요하고, 그 활용도에 따라서 삶의 질이 달라지는 시대가 되었습니다.

"생성형AI도구가 이렇게나 많은데, 어떻게 해야할지 모르겠어요"

AI초보자로서 입문을 하셨으니, 이 책을 통해서 AI프롬프트의 기초를 이해하고, 그것을 실제로 활용해보면서 얻은 지식을 통해 한 단계 더 창의적이고 혁신적인 방식으로 AI를 활용할 수 있는지를 상상해 보시기 바랍니다.

더 나아가, 여러분이 얻은 지식과 경험을 토대로 퀀텀점프할 수 있는 새로운 아이디어와 프로젝트를 창출해 나가길 기대합니다.